Wyt ti'n gwybod

Tai

Testun: Bethan Clement, 2018
© Delweddau: Canolfan Peniarth, Prifysgol Cymru Y Drindod Dewi Sant, 2018

Golygyddion: Lowri Lloyd ac Eleri Jenkins

Dyluniwyd gan Sian Evans

© Lluniau: Shutterstock.com. t.5 Stuart Pearce / Alamy Stock Photo . t.6 Radosavljevic / Alamy Stock Photo. t.7 Franck Fotos / Alamy Stock Photo. t.8 Nigel Rigden. t.10 Dog Bark Park Cottonwood Idaho

Cyhoeddwyd yn 2018 gan Ganolfan Peniarth

Cynnwys

Mae rhai pobl yn byw mewn tai gwahanol i ni.

Tŷ wyneb i waered

Mae'r tŷ yma yng Ngwlad Pwyl.
Rydych chi'n mynd i mewn i'r tŷ
drwy ffenest yn y to.

Tŷ ar y graig

Mae'r tŷ yma ar y graig yn afon Drina yn Serbia. Mae wedi bod yno am tua pum deg mlynedd.

Tŷ siâp esgid

Mae'r tŷ yma yn yr Iseldiroedd.
Mae'r drws yn y sawdl a'r ffenest
ar flaen y droed.

Tŷ siâp esgid

Mae'r tŷ yma yn America. Mae tair ystafell
wely a dwy ystafell ymolchi yn y tŷ yma.
Perchennog siopau esgidiau adeiladodd y
tŷ yma.

Tŷ siâp ŵy

Mae'r tŷ yma yn Lloegr. Mae'n arnofio ar afon. Cwch yw e!

Tŷ siâp llong

Mae saith llawr i'r tŷ siâp llong
yma ond does dim môr yn agos.
Mae'r tŷ yn Albania.

Tŷ siâp ci

Dyma'r ci mwyaf yn y byd. Mae e yn America. Gwesty gwely a brecwast yw e heddiw ond dim ond dwy ystafell wely sydd ynddo.

Tŷ yn y graig

Mae'r tŷ wedi ei gerfio o bedair craig fawr. Mae pwll nofio yn y tŷ ond does dim trydan ynddo. Ym Mhortiwgal mae'r tŷ yma.

Tŷ siâp tŷ bach

Tŷ yn Ne Corea yw hwn. Mae balconi ar do'r
tŷ yma ac mae pedair ystafell wely ynddo.

13

Mynegai